D0373974

LES DRAGONS JUMEAUX

Cet ouvrage a initialement paru en langue anglaise en 2008
chez Orchard Books sous le titre :
Vedra & Krimon, Twin Beast of Avantia.
© Working Partners Limited 2008 pour le texte.
© David Wyatt, 2008 pour la couverture.
© Orchard Books, 2008 pour les illustrations.

© Hachette Livre, 2009 pour la présente édition.

Conception graphique et colorisation :
Valérie Gibert et Philippe Sedletzki.

Hachette Livre, 43, quai de Grenelle, 75015 Paris.

Adam Blade

Adapté de l'anglais
par Blandine Longre

LES DRAGONS
JUMEAUX

hachette
JEUNESSE

TOM

Tom, le héros de cette histoire, aime l'action et l'aventure : il a toujours voulu devenir chevalier. Sa mission est risquée, et il lui arrive d'avoir peur... mais il sait aussi se montrer très malin ! Par chance, il peut compter sur son amie Elena, sur son cheval Tempête, et sur son épée, dont il se sert très bien. Son rêve le plus cher : retrouver son père, qu'il n'a jamais connu.

ELENA

Cette jeune orpheline accompagne Tom dans ses aventures. Courageuse, astucieuse, et plutôt têtue, elle est experte au tir à l'arc. Elle a tendance à se fâcher, surtout si Tom la taquine ! Mais elle n'abandonne jamais ses compagnons quand ils sont en danger. Avant de rencontrer Tom, son seul ami était Silver, un loup. Très attachée à Silver, elle s'inquiète souvent pour lui... parfois un peu trop !

Bienvenue à Avantia !

Je m'appelle Aduro.
Je suis un bon sorcier et je
vis au palais du roi Hugo.

Tu nous rejoins pour
assister à la naissance de Bêtes
jumelles, les dragons Vedra
et Krimon.

Il faut que ces deux Bêtes
partent pour le Royaume de
Rion, où elles grandiront en sécurité.
Mais le sorcier Malvel n'est jamais loin et
les jeunes dragons ont besoin d'être protégés.

Accompagnés de Ferno le dragon de feu et
d'Epos l'oiseau-flamme, Tom et Elena vont
voyager avec les dragons jumeaux. Ils devront
être courageux car Ferno et Epos n'ont pas le droit
de se battre et ne pourront pas les défendre.

Espérons que nos jeunes héros réussiront à
protéger les petits dragons.

Avantia te salue.

Aduro

Tom et Elena ont réussi à délivrer les Bêtes magiques ensorcelées par Malvel : Ferno le dragon, Sepron le serpent de mer, Arcta le géant, Tagus l'homme-cheval, Nanook le monstre des neiges, et Epos l'oiseau-flamme, la plus dangereuse de ces créatures.

À présent, les deux amis peuvent se reposer au palais du roi Hugo. Mais quand Aduro leur apprend que deux Bêtes viennent de naître, une nouvelle quête commence pour eux : ils vont devoir les protéger de Malvel…

Un nouveau danger

Tom caresse son cheval.

— Ça va aller, Tempête, murmure-t-il.

L'animal s'est blessé sur un rocher et il se repose dans les écuries du palais royal. Silver, le loup d'Elena, refuse de quitter Tempête, et il s'est couché près de lui.

— Je reviens bientôt, leur dit le garçon.

Dans la grande salle du palais, on fête l'anniversaire du roi Hugo. Tom s'assoit à côté d'Elena. Les gens mangent, dansent et applaudissent.

— Longue vie au roi ! s'écrient-ils en levant leur verre.

Tom est fier d'être l'ami d'Hugo. Elena se penche vers lui et chuchote :

— Et longue vie aux six Bêtes d'Avantia !

— Chut...

Pour les habitants du royaume, les Bêtes qui les protègent ne sont qu'une légende. Leur existence doit rester secrète.

Tom s'aperçoit que le sorcier Aduro, le conseiller du roi, reste silencieux et semble préoccupé. Soudain, le vieil homme pose ses yeux gris sur le garçon.

— Tu as raison, lui dit-il. J'ai des soucis.

Tom se souvient alors qu'Aduro

sait lire dans les pensées des autres.

Le sorcier se lève et leur fait signe de s'approcher.

— Venez. J'ai quelque chose à vous dire.

Ils quittent discrètement la grande salle et se retrouvent dans une petite pièce aux hautes fenêtres. Dehors, la nuit est tombée.

— Qu'est-ce qui se passe? demande Elena. Les Bêtes sont en danger?

— Non, elles vont bien. Mais quelque chose d'à la fois merveilleux et étrange vient

12

d'arriver. Quelque chose qui
ne se produit qu'une fois par
millénaire, explique Aduro,
les yeux brillants. Les forces
qui gouvernent notre monde
ont donné naissance à deux
nouvelles Bêtes.

— Je ne savais pas que

c'était possible ! s'étonne Tom.

— Ce sont des dragons jumeaux, Vedra et Krimon. Ils viennent d'un œuf qui est resté caché dans les grottes de Nidrem pendant des siècles.

— Des bébés dragons ! s'exclame Elena. Est-ce qu'on peut les voir ?

— C'est pour ça que je vous ai demandé de me suivre, répond le sorcier avec sérieux. La naissance de ces Bêtes pourrait mettre Avantia en danger.

Il referme sa main sur le bijou accroché autour de son

cou. Une lumière bleue apparaît entre ses doigts et se reflète sur le mur. Tom comprend que le sorcier a créé une vision.

Ils découvrent une grotte sombre et des rochers pointus. Au fond de la grotte, la coquille cassée d'un énorme œuf blanc. De drôles de formes sont allongées à côté.

— Je ne vois pas bien, dit Tom. C'est quoi, ces choses verte et rouge ?

— Tu ne devines pas ? Ce sont les dragons ! répond Elena.

Les deux petites Bêtes dorment ensemble. De fines bouffées de fumée sortent de leurs naseaux.

— Vedra est le dragon vert et Krimon le rouge, explique Aduro, en retirant sa main du bijou pour faire disparaître la vision. Ils sont très jeunes et faibles. Et si Malvel apprend leur existence, il voudra se servir d'eux.

— On va les protéger, promet Tom.

— On fera tout notre possible ! ajoute Elena.

Aduro sourit.

— Je savais que vous seriez d'accord. Mais attention : cette mission est encore plus dangereuse que les précédentes.

Tom et Elena se regardent, puis se tournent vers le sorcier.

— On est prêts ! s'écrient-ils d'une seule voix.

Chapitre deux

La rivière souterraine

duro conduit Tom et Elena dans un escalier éclairé par des torches. Ils descendent des centaines de marches. Le garçon comprend qu'ils vont dans les caves situées sous le palais. Bientôt, ils arrivent devant une porte fermée. Le sorcier place son bijou contre la porte, qui s'ouvre aussitôt.

Ils se retrouvent dans une petite pièce ronde et vide, à l'exception d'un immense coffre posé au milieu de la salle. À côté, se trouvent un sac, l'épée et le bouclier de Tom, ainsi que l'arc et le carquois de flèches d'Elena.

— Par où est-ce qu'on va sortir ? Je ne vois pas d'autre porte, s'étonne Tom.

Aduro sourit d'un air mystérieux. Il se dirige vers le coffre et passe la main au-dessus du couvercle, qui s'ouvre en grand. Il ramasse le sac et grimpe dans le coffre.

— Prenez vos armes et suivez-moi.

Intrigués, Tom et Elena entrent à leur tour dans le coffre. Aduro tape deux fois du pied. Au fond du coffre, une planche se déplace et un escalier apparaît.

Les deux amis suivent le sorcier. Leurs pas résonnent, mais Tom entend un autre bruit qu'il reconnaît aussitôt.

— Il y a de l'eau qui coule !

— Oui, répond Aduro. C'est une rivière souterraine.

Arrivés en bas des marches, ils se trouvent devant une large rivière, sombre et rapide.

— Cette rivière va vous mener au cœur des grottes de Nidrem, le lieu sacré où les Bêtes se rassemblent.

— Vous ne venez pas avec nous ? demande Tom.

— C'est votre quête, pas la

mienne, réplique Aduro. Elena et toi, vous devez voyager seuls.

Puis, il leur indique une barque.

— Une fois là-bas, vous emmènerez les deux petits

dragons au royaume de Rion.
Mais attention : il faut arriver
avant que la pleine lune se
lève. Sinon, Malvel pourra
leur jeter un mauvais sort.

— Et s'il réussit quand même
à les ensorceler ? demande le
jeune héros. Comment est-ce
qu'on pourra les délivrer ?

— Passe-moi ton épée,
répond Aduro.

Tom obéit. Le sorcier place
la lame près de ses lèvres et
murmure quelques paroles.

— Je viens d'enchanter ton
épée, annonce Aduro en la
rendant au garçon. Et si Malvel

lance un sort aux Bêtes, tu devras placer la pointe de ton arme sur leur ventre, sans les blesser. Comme ça, tu pourras les délivrer. Mais cette fois encore, tu dois le faire avant que la lune soit pleine.

— Je ferai tout mon possible, répond Tom.

— Maintenant, partez, mes

amis. Et prenez ceci, ajoute-
t-il en leur donnant le sac.
C'est de la nourriture et des
manteaux chauds.

— Merci, Aduro.

Tom et Elena grimpent dans
la barque. Aduro la détache
de la rive et Tom la conduit
au centre de la rivière à l'aide
d'une rame.

Un son parvient à leurs
oreilles. On dirait un rire
sinistre et moqueur.

— Malvel, marmonne Elena.

— Oui, je crois, répond
Tom en frissonnant.

Chapitre trois

Les petits dragons

Autour d'eux, les eaux sombres sont agitées. Ça fait des heures qu'ils descendent la rivière.

— Oh, non ! s'écrie soudain Elena. Regarde, ces rochers devant nous !

— Le courant nous entraîne droit sur eux ! s'exclame Tom.

Les deux amis plongent leurs

rames dans l'eau pour essayer d'éviter l'obstacle. Un morceau de dent de Sepron, le serpent de mer, est incrusté dans le bouclier de Tom et le protège des eaux trop rapides. Mais le garçon sait que le bouclier ne pourra pas les sauver tous les deux.

Ils se rapprochent dange-
reusement des rochers.

— Allez ! hurle le garçon
pour encourager Elena. On
peut y arriver !

Petit à petit, la barque
change de direction.

— On a réussi, s'écrie la
jeune fille.

— J'espère que cette rivière
ne nous réserve pas d'autres
mauvaises surprises ! répond
Tom.

Devant eux, ils aperçoivent
une lumière bleutée qui
éclaire le souterrain. Ils débou-
chent sur un lac, large et calme.

— Regarde, il y a quelque chose dans l'eau ! dit le garçon.

— C'est Sepron ! lance Elena d'un ton joyeux.

L'énorme serpent de mer se dirige vers eux. Il ouvre son immense gueule et pousse

un rugissement de bienvenue.

— Bonjour, Sepron ! répond
Tom.

Les autres Bêtes se sont ras-
semblées sur la rive.

Arcta, le géant des mon-
tagnes, entre dans l'eau pour
venir à leur rencontre.

— Attention, Arcta ! l'avertit le garçon. Tu vas renverser notre barque !

Aucune des Bêtes ne sait parler, mais le géant répond par un grognement. Il se penche vers le bateau et saisit délicatement Elena et Tom dans sa main, avant de les transporter jusqu'à la rive.

Ferno, le dragon de feu, est allongé sur le sol, ses ailes repliées le long de son dos. Il les regarde d'un air amical. Nanook, le monstre des neiges, s'avance lentement vers Tom et Elena, s'accroupit devant

34

eux et les prend dans ses grands bras recouverts de fourrure blanche. Le garçon a l'impression d'être enveloppé dans une immense couverture de coton.

Derrière eux résonne un croassement sonore : celui d'Epos, l'oiseau-flamme, qui les observe de ses yeux étincelants.

Un martèlement de sabots annonce l'arrivée de Tagus, l'homme-cheval. Celui-ci se penche vers Tom et Elena, les soulève de terre et les place sur son dos. Il pousse un hennissement et repart au trot le

long de la rive du lac souterrain.

— Accroche-toi ! crie le garçon à la jeune fille.

Il regarde derrière lui et
s'aperçoit que les autres Bêtes

les suivent. « Comme c'est agréable de se sentir entourés par des amis aussi puissants ! » pense Tom.

Bientôt, ils atteignent une grotte plus grande que les autres. Les deux amis descendent du dos de Tagus.

Les petits dragons sont allongés sur un nid de paille dorée. Les écailles du premier sont vert émeraude, celles du second aussi rouges qu'un rubis. Ils observent Tom et Elena d'un œil confiant et de la fumée blanche sort de leurs naseaux.

— Les Bêtes se sont réunies ici pour protéger les dragons, comprend Elena.

Tom s'approche d'eux. Vedra et Krimon sont nés il y a peu de temps, mais ils font déjà deux fois sa taille.

— On est venus vous aider, annonce-t-il d'une voix douce.

— Oh, comme ils sont mignons ! lance Elena en ten-dant les mains vers eux.

Les deux dragons sortent maladroitement de leur nid et avancent vers eux. Ils sont mal assurés sur leurs pattes et leurs ailes traînent sur le sol.

Tom tapote les écailles de Vedra, qui lui donne des petits coups de museau. Le garçon admire les petits dragons : il a tout de suite envie de les protéger.

Krimon se tient devant Elena et lui tire gentiment les

cheveux. Un drôle de son
monte de son ventre, comme
un ronronnement.

— Tu as vu : ils nous font
confiance, remarque Elena. Il
ne faut surtout pas que Malvel
les approche.

Tom observe les autres Bêtes et se tourne vers son amie.

— Je me demande s'ils comprennent qu'on a une mission.

— Même s'ils le savent, ça

ne nous dit pas comment nous allons faire pour rejoindre Rion, répond la jeune fille.

— On va regarder la carte, propose Tom.

Il s'agit d'un parchemin magique qu'Aduro lui a donné au début de sa première quête. Tom et Elena voient la cité royale et des montagnes qui apparaissent en relief. Mais le paysage semble se déplacer et d'autres montagnes, d'autres rivières, puis le royaume de Rion surgissent.

— Comme c'est loin ! s'exclame le garçon.

Il leur reste peu de temps avant le lever de la lune. Aduro a raison : cette mission va être particulièrement difficile...

Chapitre quatre

En route vers le nord

— Il faut qu'on parte d'ici le plus vite possible, dit Tom à Elena.

— Je vais chercher la nourriture et les manteaux qu'Aduro nous a donnés, répond-elle.

Le garçon se tourne vers les bébés dragons, qui le regardent avec des yeux curieux et innocents.

— Vous devez venir avec nous, commence-t-il. Si vous restez là, vous courrez un terrible danger.

Vedra et Krimon clignent des yeux.

— Un sorcier maléfique cherche à vous faire du mal,

continue Tom. Je suis venu pour vous protéger.

— *Nous* sommes venus, tu veux dire ! le reprend Elena, qui est déjà de retour. On va voir s'ils ont compris. Allez, petits dragons, suivez-moi !

Elle se dirige vers la sortie

de la grotte. Tom est ravi de voir que Vedra et Krimon se lèvent et se mettent en marche, suivis des autres Bêtes.

Dehors, le ciel est dégagé. Tom ne connaît pas cette région, mais il sait qu'ils sont encore loin de leur destination.

Les deux amis enfilent un manteau.

— Il faut qu'on reparte, maintenant, annonce Tom aux Bêtes réunies autour d'eux.

Ferno et Epos s'avancent

vers eux. Arcta soulève Elena et la dépose sur le cou de Ferno.

— Qu'est-ce qui se passe ? s'écrie Elena.

Pendant ce temps, Nanook place Tom sur le dos d'Epos.

— Ils doivent savoir qu'on a très peu de temps devant nous, répond Tom.

— Et les bébés dragons ? s'étonne la jeune fille. Ils ont des ailes, je sais, mais ils sont trop jeunes pour voler jusqu'à Rion.

Ferno se tourne vers Vedra et Krimon et pousse un léger

grognement pour les appeler. Les dragons jumeaux obéissent. Krimon grimpe le long de l'aile de Ferno et va s'installer derrière Elena. De

son côté, Vedra se blottit dans les plumes d'Epos, derrière Tom.

Le dragon de feu et l'oiseau-flamme s'élèvent dans les airs.

— Au revoir ! lance Tom aux Bêtes restées au sol.

Il vérifie que son bouclier est bien en place avant de s'accrocher des deux mains aux plumes d'Epos.

— Malvel ne pourra plus nous attraper, maintenant ! lui crie Elena.

— J'espère !

Ils volent en silence au-dessus du paysage. La couche de neige brille d'un éclat argenté sous le soleil.

En début d'après-midi, Tom aperçoit au loin les hautes

montagnes, sous un ciel chargé de nuages.

Bientôt, ils volent au milieu des flocons de neige. Heureusement, leurs manteaux leur tiennent chaud. Ils passent au-dessus de rochers escarpés. Tom vérifie sa carte : ils

s'approchent de la frontière d'Avantia et Rion. Mais le garçon aperçoit quelque chose de bizarre sur sa carte. Une des montagnes est différente des autres: en son centre, il y a un cratère rempli de feu.

— Regarde! s'écrie soudain Elena.

Tom lève les yeux. Devant lui se dresse la montagne qu'il vient d'observer sur la carte.

— C'est un volcan en éruption!

Plusieurs roches enflammées jaillissent du cratère. Epos pousse un croassement inquiet. Ferno réussit à dévier vers la gauche pour éviter l'avalanche de feu.

Un instant plus tard, Tom se rattrape de justesse : il a failli tomber du dos d'Epos. Derrière lui, Vedra pousse de petits cris affolés.

Tout à coup, un éclair de feu s'abat sur eux. Le garçon place son bouclier au-dessus de lui et du petit dragon.

Est-ce que sa quête va s'achever alors qu'elle vient juste de commencer ?

Chapitre cinq

Le mystérieux garçon

L'éclair de feu rebondit sur le bouclier de Tom. L'écaille magique incrustée dans le bouclier les a sauvés ! Tom a mal au bras, mais continue de tenir le bouclier au-dessus d'eux. Tout tremblant, Vedra se blottit derrière lui.

Le garçon aperçoit Elena qui s'accroche à Ferno. Et tandis que l'autre bébé dragon, terrifié, pousse de petits cris, le dragon de feu prend un autre virage pour éviter des rochers. Tom voit l'arc et le carquois de son amie tomber en tournoyant dans le cratère.

L'oiseau-flamme essaie lui aussi de s'écarter du volcan. Soudain, la Bête bascule sur le côté et Tom sent qu'il glisse. Il tente de s'agripper aux plumes d'Epos... mais ne réussit pas.

— Nooon ! hurle-t-il.

Le ciel et les montagnes tourbillonnent autour de lui.

« J'ai échoué », pense-t-il
tandis que son corps plonge
vers le cratère.

Il entend alors un battement d'aile aussi rapide que le vent. C'est Epos!

L'oiseau-flamme passe sous le garçon en poussant un cri de triomphe. Tom a la tête qui tourne, mais il est heureux d'être de nouveau assis sur la Bête.

— Merci! s'écrie-t-il.

— J'ai perdu mon arc et mon carquois! lui lance Elena.

— Oui, j'ai vu, répond-il. On ne peut rien y faire. On va s'éloigner de ce volcan et trouver un endroit pour se reposer.

Ils volent jusqu'à ce que la lueur rouge du cratère soit loin derrière eux. Puis Tom cherche où ils pourraient atterrir.

— Là-bas ! dit-il à ses amis, en indiquant un plateau rocheux entre deux montagnes.

Epos et Ferno s'y posent. À l'autre bout du plateau, Tom aperçoit une petite silhouette recroquevillée : peut-être un animal endormi ? Il descend du dos d'Epos pour aller vérifier.

— Qu'est-ce que c'est ?

demande Elena en le suivant.

— C'est un garçon! s'écrie Tom, surpris. Qu'est-ce qu'il fait là tout seul?

— On va lui demander, répond la jeune fille, qui dépasse son ami en courant.

— Fais attention! l'avertit Tom.

Il entend Ferno grogner et Epos croasser nerveusement. Quant aux deux petits dragons, ils observent le garçon en frissonnant.

L'inconnu ne porte que des vêtements légers, alors que le vent est glacial. «C'est bizarre… Comment peut-il dormir dans un endroit pareil? » se demande Tom.

— Tu ne devrais pas le réveiller, lance-t-il en arrivant près d'Elena. Il faut qu'on reparte.

Mais la jeune fille s'accroupit près du garçon et lui secoue l'épaule.

— Est-ce que tu vas bien?

Les yeux bleus de l'inconnu s'ouvrent brusquement. Il se lève d'un bond. Elena, surprise, recule en trébuchant. Le garçon se tourne vers Tom et lui sourit.

Tom se demande où il a déjà vu ces yeux...

— Je m'appelle Seth, se présente le garçon en tendant la main à Tom. Et toi?

Tom tend sa main avec hésitation.

— Tom, dit-il, et voici...

Il ne va pas plus loin. Les yeux du garçon se mettent à briller et son sourire se transforme en grimace. Et, sans prévenir, il se précipite sur Tom et lui saisit le bras.

Tom pousse un cri de surprise tandis que Seth tire sur son bras, le fait trébucher puis passer par-dessus son épaule. Tom retombe sur le dos et, cette fois, il pousse un hurlement de douleur. Il a le tournis, mais il entend Elena crier quelque chose.

Il est à bout de souffle, les yeux fixés sur le ciel. Seth se dresse au-dessus de lui, une épée de bronze entre les mains. La pointe de l'arme est dirigée vers la gorge de Tom.

— Maintenant qu'on se connaît, grogne Seth, je vais te tuer !

Tom, incapable de se

défendre, voit la lame descendre vers lui...

Chapitre six

Ami ou ennemi?

Tom se retourne brusquement sur le côté et l'épée frappe la roche. Seth trébuche et Tom en profite pour se relever, sortir son épée et son bouclier et faire face à son ennemi.

— Pourquoi est-ce que tu m'attaques? demande-t-il.

Seth ne répond pas, mais fonce de nouveau sur Tom. Celui-ci

réussit à dévier la lame de
Seth. Leurs épées se rencon-
trent brutalement et le bruit
résonne d'un pic à l'autre.

Pendant ce temps, Ferno
s'approche et Epos regarde le
combat avec des yeux furieux.

— Attention ! s'écrie Elena
pour avertir son ami.

L'épée de Seth retombe sur Tom, qui l'arrête avec son bouclier, puis fonce sur l'autre garçon. Mais celui-ci contre-attaque brutalement et Tom se rend compte que Seth est un dangereux combattant.

Alors, Tom risque le tout pour le tout: il recule devant

les coups d'épée de son adversaire et lui donne l'impression
d'être affaibli. Soudain,
il trébuche et tombe à la
renverse.

Seth pousse un hurlement
de triomphe et lève son épée
au-dessus de Tom. Mais ce der-
nier lui fait un croche-pied et
Seth tombe en criant. Tom en
profite pour se relever, envoie
valser l'épée de son adversaire
et se tient au-dessus de lui, son
arme pointée sur son torse.

— Bravo ! lance Elena, qui
arrive vers eux en courant.
Pourquoi est-ce que tu as fait

ça ? demande-t-elle à Seth. On ne voulait pas te faire de mal, nous.

— Je m'excuse ! répond Seth en cachant son visage entre ses mains. Je ne sais pas ce qui m'a pris...

— Tu m'as attaqué sans raison ? Je ne comprends pas, rétorque Tom, en colère.

— Je suis affamé et j'ai très peur. Je me suis perdu dans ces montagnes... j'ai cru que tu étais un démon et que tu voulais me tuer. Vraiment, je suis désolé, ajoute-t-il.

Il a l'air si malheureux que

Tom et Elena, après avoir échangé un regard, décident de lui donner une seconde chance.

— Très bien, lui dit la jeune fille. Attends ici, on va te donner à boire et à manger.

Elle court chercher le sac de provisions. Tom, qui ne sait pas s'il peut faire confiance à Seth, ramasse l'épée de bronze et la glisse dans sa ceinture.

— Comment es-tu arrivé là ? demande-t-il à Seth.

— Je suis parti à la chasse avec des amis, mais je me suis

perdu dans le brouillard… et je n'ai pas retrouvé mes compagnons. J'ai cru que j'allais mourir ici, tout seul. Vous m'avez sauvé la vie, merci !

— J'espère que tu vas reconnaître ton chemin, répond Tom. Nous, nous devons repartir.

Seth observe les Bêtes.

— Vous volez sur des… *oiseaux* tellement extraordinaires…, dit-il avec admiration. Ou plutôt, un oiseau et un… dragon ! Mais… ce doit être deux des Bêtes légendaires d'Avantia ! s'exclame-t-il. Elles existent, alors ? Tu es leur maître ?

— Non, réplique Tom, seulement leur ami.

— J'étais sûr qu'elles existaient, ajoute Seth.

— Oui, mais personne ne doit être au courant, rétorque Elena.

— Bien sûr, répond Seth en posant la main sur son cœur. Ne vous inquiétez pas, je vous promets de ne rien dire à personne. Mais… je ne sais pas comment quitter ces montagnes… si vous me laissez là, je vais mourir.

— On ne peut pas t'emmener avec nous, dit Tom. On est en mission.

— Oui, on cherche à rejoindre le royaume de Rion, précise la jeune fille.

— J'habite à Rion, dans un petit village de l'autre côté des montagnes, répond Seth. Ramenez-moi chez moi, et je vous promets que je ne dirai jamais rien de l'existence de ces magnifiques Bêtes!

Gênés, Tom et Elena se regardent. Est-ce qu'ils peuvent faire confiance à ce garçon?

« Pourtant, ce serait cruel de le laisser seul ici », pense Tom.

— C'est d'accord, dit-il. Mais on n'ira pas plus loin que ton village.

Chapitre sept

La poudre magique

om grimpe sur le dos d'Epos et tend la main à Seth pour l'aider à s'installer devant lui. Comme ça, il pourra surveiller ce garçon si mystérieux. Vedra observe Seth avec curiosité. Celui-ci essaie de caresser le petit dragon, mais Vedra crache quelques flammes et Seth retire vite sa main.

Bientôt, ils volent de nouveau au-dessus des hautes montagnes. Tom voit le paysage se transformer sous eux. Les montagnes laissent place à des collines couvertes de forêts de pins enneigées. Dans la vallée, le garçon aperçoit aussi des lacs aux eaux bleues et des rivières aux courants rapides.

Il sort sa carte magique et se rend compte qu'ils ont passé la frontière entre Avantia et Rion. Pour la première fois de sa vie, le garçon quitte le royaume où il est né.

— On est arrivés à Rion ! annonce-t-il à Elena. Il faut trouver un endroit où se poser.

— Regarde ! s'écrie alors Elena en indiquant une clairière. Voilà l'endroit idéal pour atterrir.

Ferno commence à descendre tandis qu'Epos se prépare à le suivre.

Tom sourit. Ils ont réussi à mettre Vedra et Krimon en sécurité. Aduro sera fier d'eux.

Soudain, il sent que Seth s'agite devant lui. Il regarde par-dessus l'épaule du garçon et le voit sortir une petite bourse de cuir de sa poche.

— Qu'est-ce que c'est ? demande-t-il.

Sans un mot, Seth ouvre la bourse et plonge sa main à l'intérieur. Quand il la ressort, une poudre dorée coule entre ses doigts.

— De la poussière magique ! répond-il à Tom. Une poudre maléfique fabriquée par Mal-vel !

— Non ! s'écrie Tom.

Trop tard.

Seth se penche en avant et jette une poignée de poussière

dans les yeux d'Epos. L'oiseau-flamme pousse un cri assourdissant et se met à tourbillonner dans les airs.

Seth rit, puis se retourne vers Tom et lui envoie une autre poignée de poudre au visage. La poussière dorée remplit les yeux du garçon. Aveuglé, il s'agrippe à Epos.

Chapitre huit

Le rire de Malvel

L'oiseau-flamme s'écrase si brutalement que le sol de la forêt tremble, mais Tom a le temps de plonger sur le côté. Il entend Vedra pousser un cri et Epos croasser de douleur et de rage.

En roulant à terre, le garçon perd son bouclier et son épée. Sa chute est amortie par un tas de neige. Étendu sur le sol, il est à

bout de souffle et sa tête tourne.
Ses yeux le piquent et il ne
voit plus rien, sauf une lueur
dorée qui danse devant lui.

— Elena ! appelle-t-il. Où es-
tu ?

Il se relève lentement et
marche à tâtons entre les arbres.

— Je suis là ! réplique son amie. Qu'est-ce qui s'est passé ? Epos est blessé ?

Tom s'agrippe au bras de la jeune fille.

— C'est Seth. Il nous a envoyé de la poudre fabriquée par Malvel dans les yeux. Il nous a aveuglés. Où est-il ? demande-t-il en tournant la tête. Et où est mon épée ?

— Tu ne peux pas te battre contre lui si tu n'es pas armé, répond Elena, qui l'aide à avancer. Écoute ! J'entends de l'eau couler...

Elle laisse Tom contre un

tronc d'arbre et lui demande de l'attendre.

— Je vais chercher de l'eau pour tes yeux. Je reviens.

Tom entend les Bêtes : le croassement furieux d'Epos, les grognements inquiets de Ferno, et les petits cris effrayés d'un bébé dragon.

« Pourquoi est-ce qu'on a emmené Seth avec nous ? se demande-t-il. Comment est-ce que j'ai pu être aussi stupide ? »

— Me revoilà ! annonce Elena.

Un instant plus tard, elle

asperge le visage de Tom d'eau glaciale.

— Ça va mieux?

Tom ouvre lentement les yeux. Sa vision est encore troublée par des reflets dorés, mais il voit de nouveau et il n'a plus mal.

— Où est-il? demande-t-il, furieux.

Il repart en courant vers la clairière où les attendent les Bêtes. En chemin, il retrouve son épée et son bouclier. Mais l'épée en bronze de Seth a disparu.

Epos secoue la tête pour se

débarrasser de la poussière dorée. Ferno se trouve près de l'oiseau-flamme, les yeux brillants de colère.

Aucun signe de Seth.

Au même instant, Krimon, qui s'est réfugié sous l'aile de Ferno, sort de sa cachette et se dirige vers Tom et Elena.

— Où est Vedra? s'étonne

la jeune fille en regardant autour d'eux.

— Seth a dû l'emmener avec lui, répond Tom.

Il fait quelques moulinets avec son épée et hurle :

— Seth ! Espèce de lâche ! Reviens ici pour te battre !

Un rire grave et profond se met alors à résonner au-dessus des arbres. Un rire familier, qui leur fait froid dans le dos.

Tom s'immobilise.

— Malvel ! hurle-t-il. Tant que je serai en vie, je ferai tout pour retrouver Vedra ! Je

le jure !

Un autre éclat de rire résonne entre les arbres.

Malvel a été plus fort qu'eux.

La neige se met à tomber sur la clairière.

Tom sent son cœur se remplir de doute. Ils sont dans un pays qu'ils ne connaissent pas. Et il ne sait pas où chercher le bébé dragon. Et puis, il faut aussi qu'ils protègent Krimon.

— Nous avons échoué, murmure Elena. Malvel nous a vaincus.

— Non, répond Tom en serrant son épée dans son poing. Nous allons retrouver Vedra. Nous réussirons !

À suivre...

Tom et Elena sont parvenus à emmener
les dragons jumeaux à Rion,
mais leur mission est loin d'être terminée...
Ils ont réussi à protéger Krimon,
mais l'autre dragon, Vedra, est maintenant
entre les mains de Malvel.
Les deux amis pourront-ils le sauver ?

Découvre la suite des aventures
de Tom dans le tome 8
de **Beast Quest** :
LES DRAGONS
ENNEMIS

Plonge-toi dans les aventures de Tom à Avantia !

**LE DRAGON
DE FEU**

**LE SERPENT
DE MER**

**LE GÉANT
DES MONTAGNES**

L'HOMME-CHEVAL

**LE MONSTRE
DES NEIGES**

L'OISEAU-FLAMME

Table

« Pour l'éditeur, le principe est d'utiliser des papiers composés de fibres naturelles, renouvelables, recyclables et fabriquées à partir de bois issus de forêts qui adoptent un système d'aménagement durable. En outre, l'éditeur attend de ses fournisseurs de papier qu'ils s'inscrivent dans une démarche de certification environnementale reconnue. »

Imprimé en France par Jean-Lamour - Groupe Qualibris
Dépôt légal : mai 2009
20.07.1800.0/01 − ISBN 978-2-01-201800-6
Loi n°49-956 du 16 juillet 1949
sur les publications destinées à la jeunesse